Los ángeles de Alfie

Alfie's Angels

In memory of Alfons,
who taught me about angels. H.B.

For Mum, Dad and Daniel,
for your support and encouragement. S.G.

First published 2003 by Mantra
5 Alexandra Grove, London N12 8NU
www.mantralingua.com

British Library Cataloguing in Publication Data:
a catalogue record for this book is available
from the British Library.

Los ángeles de Alfie

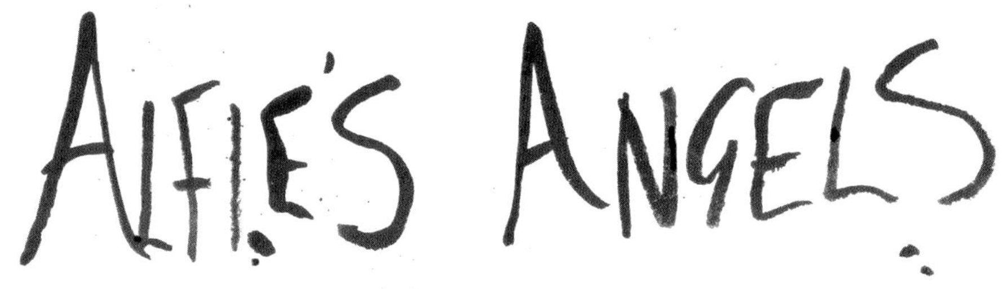

Spanish translation by Maria Helena Thomas

mantra

Alfie quería ser un ángel.
Los había visto en sus libros.

Alfie wanted to be an angel.
He'd seen them in his books.

Los había visto en sus sueños.

He'd seen them in his dreams.

Los ángeles tienen alas y pueden volar.
Alfie quería alas para llegar volando al colegio.

Angels have wings and angels can fly. Alfie wanted wings so he could fly to school on time.

Los ángeles pueden bailar y cantan con voces hermosas.
Alfie quería cantar en el coro.

Angels can dance, and sing in beautiful voices.
Alfie wanted to sing so that he could be in the choir.

Los ángeles se mueven tan rápido que es imposible verles.

Angels can move faster than the eye can see.

Alfie quería moverse rápido para meter más goles.

Alfie wanted to move faster so that he could score more goals.

Los ángeles son de formas distintas...

Angels come in all shapes...

... y de tamaños distintos,

...and sizes,

y pueden hacer cosas maravillosas.

and they can do the most amazing things.

Por eso Alfie quería ser ángel.

Alfie wanted to be an angel.

Los había visto en sus libros.
Los había visto en sus sueños.

He'd seen them in his books.
He'd seen them in his dreams.

Es el caso que una vez al año los niños pueden convertirse en ángeles.
Los maestros les escogen.
Los padres les visten.
Todos los niños del colegio les miran.

Now once a year children can be angels.
The teachers choose them.
The parents dress them.
The whole school watches them.

1970
1982
2002

La maestra de Alfie siempre escoge
a las niñas.

Alfie's teacher always chose the girls.

Las niñas más bonitas. Las niñas con el cabello más largo.
Las niñas con los ojos más grandes y las sonrisas más dulces.

The prettiest girls. The girls with the longest hair.
The girls with the biggest eyes and the sweetest smiles.

Pero Alfie quería ser un ángel.
Los había visto en sus libros.
Los había visto en sus sueños.

But Alfie wanted to be an angel.
He'd seen them in his books.
He'd seen them in his dreams.

Henrie
Alfie
Sarah

Cuando la maestra preguntó “¿Quién quiere ser ángel?” Alfie levantó la mano.

When the teacher asked, “Who wants to be an angel?” Alfie put up his hand.

Las niñas se rieron. Los niños se burlaron.

The girls laughed. The boys sniggered.

La maestra se quedó asombrada.
"¿Alfie quiere ser ángel? Pero si sólo las niñas son ángeles."

The teacher stared. The teacher thought and said, "Alfie wants to be an angel? But only girls are angels."

Alfie negó lentamente con la cabeza,
Y le contó a la maestra todo lo que sabía sobre los ángeles.

Alfie slowly shook his head,
and he told his teacher all about the angels.

Como los había visto en sus libros.
Como los había visto en sus sueños.

How he'd seen them in his books.
How he'd seen them in his dreams.

Y mientras más hablaba Alfie, más escuchaban todos.

**And the more Alfie spoke,
the more the whole class listened.**

Nadie se rió y nadie se burló de que Alfie quisiera ser un ángel.

Nobody laughed and nobody sniggered, because Alfie wanted to be an angel.

Era esa época del año en la que los niños pueden convertirse en ángeles.
Los maestros les enseñan. Los padres les visten.
Todo el colegio les mira mientras cantan y bailan.

Now it was that time of year
when children could be angels.
The teachers taught them.
The parents dressed them.
The whole school watched
them while they sang
and danced.

¡Alfie era un ángel!

Alfie was an angel!